LES MONSIEUR MADAME
dans l'espace

MONSIEUR MADAME ™

LES MONSIEUR MADAME
dans l'espace

Roger Hargreaves

Écrit et illustré par Adam Hargreaves

hachette
JEUNESSE

Monsieur Farfelu venait d'obtenir un nouveau travail en tant que guide touristique au Centre spatial. Il en était si fier qu'il décida d'inviter tous ses amis à faire une visite.

Il leur montra d'abord le premier vaisseau à s'être posé sur la Lune.

– Voici un grille-pain lunaire, expliqua-t-il.

– Mais, ce n'est pas un grille-pain ! commenta Madame Sage.

Il les emmena ensuite dans l'immense hangar où était entreposée la fusée Saturne V, puis il leur montra comment enfiler une combinaison spatiale.

– Hum… je ne pense pas que ce soit tout à fait comme ça, dit Madame Sage.

Ensuite, Monsieur Farfelu les entraîna dehors où se dressaient deux gigantesques fusées.

– Grimpons à l'intérieur de celle-ci, proposa-t-il.

Ils montèrent jusqu'au sas qui conduisait au sommet de la fusée.

– Celle-là va bientôt être lancée pour une mission sur Mars, expliqua encore Monsieur Farfelu en désignant l'autre fusée.

Tous passèrent le sas.

Monsieur Farfelu et ses amis admiraient
la capsule spatiale lorsque soudain,
il y eut un terrible grondement. La fusée se
mit à trembler avant d'être franchement secouée.

Le bruit était assourdissant comme si des centaines
d'éléphants s'enfuyaient en barrissant très fort.

La fusée dans laquelle se trouvaient
Monsieur Farfelu et ses amis était
en train de décoller !

Ils étaient en fait dans la mauvaise fusée et... ils étaient
en route pour l'espace !

Monsieur Farfelu regarda ses amis qui le fixèrent en retour.
— Oups ! murmura-t-il.

La fusée monta vers le ciel dans une traînée de fumée
et de flammes.

Monsieur Farfelu et ses amis se demandèrent ce qui allait arriver quand un sas s'ouvrit. C'était un astronaute !

Imagine sa surprise lorsqu'il aperçut les Monsieur Madame.

– Qui êtes-vous ? demanda-t-il.

– C'est une erreur, nous sommes dans la mauvaise fusée ! lui expliqua Madame Sage. Et vous, qui êtes-vous ?

– Je suis le capitaine Grosbras et je suis en mission pour Mars !

– Mars ? manqua de s'étrangler Monsieur Inquiet. Pourriez-vous me ramener à la maison, d'abord ?

– Désolé ! Impossible de rentrer avant d'avoir accompli ma mission ! répondit le capitaine.

– Oups ! répéta une petite voix.

– Pourriez-vous nous montrer où nous allons
exactement ? demanda Madame Sage, curieuse.

– Bien sûr ! répondit le capitaine en allumant un écran
géant. Voici notre système solaire. Il y a huit planètes.
Voici la Terre et voici Mars. Et ça, c'est le soleil.
Mais on ne peut pas s'approcher trop près car il fait
trop chaud ! On cuirait comme des saucisses !

– Des saucisses ? Miam ! commenta Monsieur Glouton.

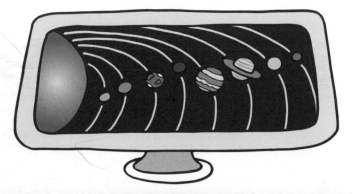

Il se passait des choses très étranges dans l'espace. Par exemple, il n'y avait pas de force de gravité si bien que tout le monde flottait en apesanteur dans la capsule. Monsieur À l'Envers ne savait même plus lui-même dans quel sens il se trouvait. Heureusement, il avait l'habitude !

Ils aperçurent aussi un trou noir et le capitaine Grosbras leur expliqua qu'il n'y avait rien dans un trou noir : le vide, le néant !

Et bien sûr, Monsieur Curieux voulut aller voir par lui-même.

La vie à bord de la fusée demandait parfois quelques réparations. Ce qui voulait dire sortir de la fusée pour aller dans l'espace. On appelle cela une « sortie extra-véhiculaire ».

Monsieur Endormi trouva cette promenade à son goût : pas de marche épuisante, il flottait juste tranquillement.

Après un long voyage, ils atterrirent enfin sur Mars.

Mais à leur grande surprise, ils virent qu'ils n'étaient pas les seuls !

Ils n'en crurent pas leurs yeux ! Lorsqu'ils débarquèrent de la fusée, la première chose qu'ils aperçurent fut une tente !

– Est-ce que c'est… un Martien ? demanda Monsieur Inquiet, très nerveux.

Personne ne savait, même Madame Sage.

Mais ce n'était pas un Martien, c'était Monsieur Incroyable qui campait… tout simplement !

– Je viens ici chaque été, expliqua-t-il. J'aime me couper du monde de temps en temps.

– C'est à peine croyable ! s'exclama le capitaine Grosbras en secouant la tête.

Ils déchargèrent le véhicule lunaire et Madame Sage précisa qu'il s'agissait plutôt d'un véhicule martien.

Ils avaient atterri sur une plaine couverte de poussière rouge qui s'étendait à perte de vue.

Il n'y avait rien d'autre autour à part... un petit rocher.

Un petit rocher sur lequel roula Monsieur Maladroit !

Soudain, une alarme retentit.

– Qu'est-ce que c'est ? demanda Monsieur Inquiet
en sursautant.

Une pluie de météorites se dirigeait droit sur eux !

– Pas de panique ! s'écria Monsieur Costaud.

Il se mit à courir dans tous les sens pour attraper
les météorites et les renvoyer dans l'espace.

Après quelques jours passés sur Mars, il était temps de rentrer.

Tout le monde emballa son équipement et remonta à bord de la fusée.

Le capitaine Grosbras mit les gaz et ils décollèrent.

– Stooooop ! cria soudain Madame Sage. Nous avons oublié Monsieur Petit. Demi-tour !

– Mais je ne peux pas arrêter la fusée ! expliqua le capitaine Grosbras.

Pauvre Monsieur Petit !

Il était si petit que personne n'avait remarqué qu'il était resté sur Mars et il n'y avait rien à faire pour le récupérer !

Enfin, c'est ce qu'ils croyaient car soudain, Monsieur Bing sauta à travers le sas, attrapa Monsieur Petit par sa combinaison avant de revenir dans la fusée.

– C'est ce que j'appelle une promenade dynamisante ! commenta le capitaine Grosbras.

D'ailleurs, le capitaine était ravi de sa mission. C'était un véritable succès car il avait collecté de nombreux échantillons.

Monsieur Farfelu observa toutes ces pierres.

– Hum… c'est un bien long voyage pour rapporter des cailloux. Des cailloux, il y en a plein la Terre !

En chemin, ils firent une escale à la Station Spatiale Internationale pour prendre le thé.

– Où sont les trains ? demanda Monsieur Farfelu.

– Ce n'est pas le même genre de station, soupira Madame Sage.

Monsieur Farfelu ne comprit pas non plus pourquoi le thé n'était pas servi comme d'habitude dans une tasse avec une soucoupe.

Alors, Madame Sage lui montra pourquoi.

Pendant que tout le monde buvait son thé, Madame Canaille sortit en douce pour faire un petit tour sur un satellite.

Tourner en orbite autour de la Terre ne lui prit que quatre-vingt-dix minutes et elle fut de retour juste à temps pour attraper la navette spatiale qui les ramenait à la maison.

La navette traversa l'atmosphère terrestre avec la même force qu'à l'aller. Puis ils amerrirent près du Centre spatial.

– Bien, déclara Madame Sage à Monsieur Farfelu.
Je crois pouvoir affirmer sans risque que c'est sans doute la meilleure visite que je n'ai jamais faite !

Et loin, très loin… À exactement 76 millions de kilomètres de la Terre – pour être aussi précis que Madame Sage – Monsieur Incroyable était confortablement installé dans sa chaise longue. Lorsqu'une petite voix dit :

– Salut !

C'était un Martien !

Mais c'est impossible, n'est-ce pas ?

Ou pas…

RÉUNIS VITE LA COLLECTION ENTIÈRE

1	2	3	4	5	6	7	8	9
MME AUTORITAIRE	MME TÊTE-EN-L'AIR	MME RANGE-TOUT	MME CATASTROPHE	MME ACROBATE	MME MAGIE	MME PROPRETTE	MME INDÉCISE	MME PETITE

10	11	12	13	14	15	16	17	18
MME TOUT-VA-BIEN	MME TINTAMARRE	MME TIMIDE	MME BOUTE-EN-TRAIN	MME CANAILLE	MME BEAUTÉ	MME SAGE	MME DOUBLE	MME JE-SAIS-TOU

19	20	21	22	23	24	25	26	27
MME CHANCE	MME PRUDENTE	MME BOULOT	MME GÉNIALE	MME OUI	MME POURQUOI	MME COQUETTE	MME CONTRAIRE	MME TÊTUE

28	29	30	31	32	33	34	35	36
MME EN RETARD	MME BAVARDE	MME FOLLETTE	MME BONHEUR	MME VEDETTE	MME VITE-FAIT	MME CASSE-PIEDS	MME DODUE	MME RISETTE

37	38	39	40	41	42	43	44
MME CHIPIE	MME FARCEUSE	MME MALCHANCE	MME TERREUR	MME PRINCESSE	MME CÂLIN	MME FABULEUSE	MME LUMINEUS

DES **MONSIEUR MADAME**

1	2	3	4	5	6	7	8	9	10	11
...ATOUILLE	M. RAPIDE	M. FARCEUR	M. GLOUTON	M. RIGOLO	M. COSTAUD	M. GROGNON	M. CURIEUX	M. NIGAUD	M. RÊVE	M. BAGARREUR

12	13	14	15	16	17	18	19	20	21
...INQUIET	M. NON	M. HEUREUX	M. INCROYABLE	M. À L'ENVERS	M. PARFAIT	M. MÉLI-MÉLO	M. BRUIT	M. SILENCE	M. AVARE

22	23	24	25	26	27	28	29	30	31
M. SALE	M. PRESSÉ	M. TATILLON	M. MAIGRE	M. MALIN	M. MALPOLI	M. ENDORMI	M. GRINCHEUX	M. PEUREUX	M. ÉTONNANT

32	33	34	35	36	37	38	39	40	41
FARFELU	M. MALCHANCE	M. LENT	M. NEIGE	M. BIZARRE	M. MALADROIT	M. JOYEUX	M. ÉTOURDI	M. PETIT	M. BING

42	43	44	45	46	47	48	49	50	51
BAVARD	M. GRAND	M. COURAGEUX	M. ATCHOUM	M. GENTIL	M. MAL ÉLEVÉ	M. GÉNIAL	M. PERSONNE	M. FORMIDABLE	M. AVENTURE

Retrouve tous tes héros sur
www.hachette-jeunesse.com

Traduction : Anne Marchand Kalicky.
Édité par Hachette Livre, 58 rue Jean Bleuzen 92178 Vanves Cedex.
Dépôt légal : mai 2017.
Loi n° 49-956 du 16 juillet 1949 sur les publications destinées à la jeunesse.
Achevé d'imprimer par Canale en Roumanie.